Manfred Mai

# Robin Hood
## König der Wälder

Mit Bildern von Betina Gotzen-Beek

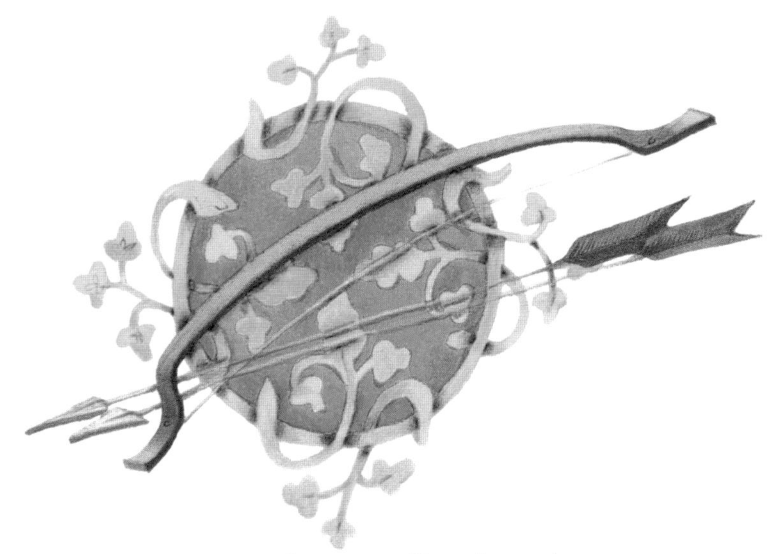

Ravensburger Buchverlag

Bibliografische Information der Deutschen Nationalbibliothek:

Die Deutsche Nationalbibliothek verzeichnet diese Publikation
in der Deutschen Nationalbibliografie.
Detaillierte bibliografische Daten sind im Internet
über **http://dnb.d-nb.de** abrufbar.

1 2 3 13 12 11

Ravensburger Leserabe

Umschlagbild: Betina Gotzen-Beek
Umschlagkonzeption: Sabine Reddig
Redaktion: Sabine Schuler
Printed in Germany
ISBN 978-3-473-36242-4

www.ravensburger.de
www.leserabe.de

## Inhalt

## Ein Wettschießen mit Folgen

Robin Hood ist eine der berühmtesten Figuren der Weltliteratur. Es gibt unzählige Bücher, in denen von seinem abenteuerlichen Leben erzählt wird. Dabei weiß niemand genau, ob Robin Hood wirklich gelebt hat. Manche Gelehrten bestreiten es; andere verweisen auf die Akten eines englischen Gerichts aus dem Jahr 1225, in denen ein „Robert Hod,

Flüchtling“ erwähnt wird. Ob es sich dabei um den Mann handelt, der später Robin Hood genannt wurde, kann heute nicht mehr nachgeprüft werden. Jedenfalls erzählten fahrende Sänger im Mittelalter in Liedern und Geschichten von dem edlen Räuber, der den Armen gab, was er den Reichen weggenommen hatte.
Und im Jahr 1377 wurde Robin Hood erstmals schriftlich erwähnt, aber erst viel später hat jemand seine Geschichte aufgeschrieben. Im Lauf der Jahrhunderte wurde sie vielfach ergänzt und geändert, bis sie schließlich so war, wie wir sie heute kennen.
Der Sage nach wurde Robin um 1200 als Sohn eines Waldhüters im englischen Loxley geboren. Manchmal nahm der Vater den kleinen Robin mit, wenn er durch den Wald ritt, um nach dem

Rechten zu sehen. Und schon früh brachte er seinem Sohn das Reiten und den Umgang mit Waffen bei. Robin war ein guter Schüler; er konnte sich mit Schwert und Schild geschickt verteidigen, vor allem aber wurde er ein ausgezeichneter Bogenschütze.

Loxley gehörte zu der Grafschaft Nottingham, in der ein Sheriff im Auftrag von König Richard für Recht und Ordnung sorgen sollte. Der König selbst war seit einigen Jahren auf einem Kreuzzug im

Heiligen Land. Zu seinem Stellvertreter in England hatte er seinen jüngeren Bruder Johann ernannt. Der war kein guter Mensch. Johann hoffte, sein Bruder werde nie zurückkommen, weil er unbedingt selbst König werden wollte. Um die Unterstützung der Bischöfe und Äbte, der Grafen und Barone zu bekommen, ließ er diese gewähren, wenn sie von den Bauern und Handwerkern immer mehr Steuern und Abgaben forderten.

So hatte sich die Lage der einfachen Leute sehr verschlechtert, seit König Richard, auch Richard Löwenherz genannt, außer Landes war.

Besonders schlimm trieb es der Sheriff von Nottingham, der einer der meistgehassten Männer im ganzen Königreich war.

Nur einmal im Jahr zeigte sich der

Sheriff großzügig: Er lud die Männer der Grafschaft nach Nottingham zu einem Wettschießen ein und stiftete jedes Mal einen wertvollen Preis für den Sieger.
„Diesmal mache ich mit“, sagte Robin.
„Ich bin jetzt 18 und damit alt genug.“
Sein Vater lächelte. „Versuch dein Glück.“
Robin nahm seinen Bogen und den Köcher mit den Pfeilen und machte sich auf den Weg nach Nottingham. Es war ein schöner Frühlingstag, die Vögel zwitscherten munter in den Bäumen, und Robin pfiff ein fröhliches Lied dazu.
Als er etwa die Hälfte des Weges hinter sich hatte, traf er auf drei Männer, die unter einem mächtigen Baum saßen.
Sie stärkten sich mit Fleisch, Fladenbrot und Bier.
„He, du!“, rief einer. „Bist du nicht der Sohn des Waldhüters von Loxley?“

„Der bin ich“, antwortete Robin.
„Was machst du denn so allein hier im Wald? Hast du keine Angst?“, fragte der Zweite.
„Nein, hab ich nicht!“, gab Robin spitz zurück. „Ich bin auf dem Weg nach Nottingham zum Wettschießen.“
„So, so, zum Wettschießen“, sagte der Dritte und grinste. „Du willst wohl zuschauen, wie richtige Männer schießen.“
Seine Freunde lachten.

„Wenn ihr euch traut, machen wir gleich hier ein Wettschießen!“, rief Robin wütend. „Dann werden wir sehen, wer von uns am längsten lacht.“

Die Männer schlugen sich auf die Schenkel vor Vergnügen.

„Der ... der Grün... Grünschnabel ist gut“, stammelte einer. „Der ist wirklich gut!“

„Na, wer von euch traut sich?“, fragte Robin.

Der Erste wurde ernst und sprach: „Du hast ein arg vorlautes Mundwerk, Bürschchen. Das werde ich dir jetzt stopfen! Ich schieße mit dir um die Wette und setze zehn Taler.“

„Äh ... zehn Taler habe ich nicht.“

Der Mann musterte Robin von oben bis unten.

„Dann setz dein Messer dagegen!“

„Mein Messer?“

„Oder willst du kneifen?“
„Ich ... nein, ich kneife nicht!“
„Also gut. Und worauf wollen wir schießen?“ Sie schauten sich nach einem geeigneten Ziel um.
„Siehst du den Hirsch dort auf der Lichtung?“, fragte Robin.

„Natürlich sehe ich ihn, aber der ist viel zu weit weg.“
„Willst du kneifen?“, fragte jetzt Robin.
„Ich hätte gute Lust ...“ Der Mann stockte und sprach nicht aus, wozu er gute Lust

hätte. Stumm nahm er seinen Bogen, legte einen Pfeil an die Sehne und spannte sie. Sekunden später surrte der Pfeil von der Sehne – und an dem Hirsch vorbei. Der graste ahnungslos weiter.
Der Schütze stieß einen leisen Fluch aus und brummte: „Ich hab ja gewusst, dass er viel zu weit weg ist."
Robin sagte nichts dazu, sondern spannte seinen Bogen, zielte und schoss. Der Pfeil schwirrte durch die Luft und traf den Hirsch tödlich.
„Na, was sagst du zu diesem Schuss?", fragte Robin. „Ich habe die Wette gewonnen." Er hielt die Hand auf, um die zehn Taler zu kassieren.
Statt sie herauszurücken, zischte der Mann: „Dir werde ich's zeigen, Bürschchen!" Er packte die ausgestreckte Hand und hielt sie fest. „Du hast einen

Hirsch des Königs getötet. Als Sohn eines Waldhüters weißt du bestimmt, dass darauf die Todesstrafe steht! Wir bringen dich jetzt zum Sheriff von Nottingham; der macht mit Wilderern kurzen Prozess."
„Aber ich ..."

„Nun ist es gut", sagte der Zweite. „Wir hatten unseren Spaß, aber jetzt lass den Jungen laufen."
„Ich denke nicht daran! Der Kerl soll hängen!"

„Nur weil er besser schießen kann als du“, sagte der Dritte. „Nein, das mache ich nicht mit.“

„Dann bringe ich ihn eben allein zum Sheriff!“

Während die Männer noch stritten, riss sich Robin los und rannte davon. Nur der Erste verfolgte ihn, doch Robin war schneller, hängte ihn ab und verschwand im dichten Wald.

Den ganzen Tag traute er sich nicht mehr hinaus, und als die Nacht hereinbrach, sah er kaum noch die Hand vor den

Augen. Er wünschte, er hätte sich nie
auf den Weg nach Nottingham gemacht.
Dann läge er jetzt zu Hause in seinem
Bett. Nun musste er die Nacht auf dem
harten Waldboden verbringen.
Am nächsten Morgen weckte ihn sein
knurrender Magen noch vor Sonnen-
aufgang. Robin erhob sich, wobei ihn
alle Glieder schmerzten.
„Verdammt noch mal, ich geh jetzt nach
Hause“, brummte er vor sich hin. „Der Kerl
ist bestimmt längst in Nottingham.“
Robin orientierte sich an der aufgehenden
Sonne, ging nach Süden und kam
bald an den Weg, der von Loxley nach
Nottingham führte.
An einem Bach legte er sich auf den
Bauch und trank von dem klaren Wasser.
Nach dieser Erfrischung schritt er kräftig
aus und freute sich auf zu Hause.

Gegen Mittag wurde der Wald immer lichter, und Robin wusste, dass er nun bald am Ziel war. Hinter der nächsten Wegbiegung würde er sein Elternhaus schon sehen können. Die Freude und mehr noch der Hunger trieben ihn vorwärts. Als er die Wegbiegung erreichte, blieb er wie angewurzelt stehen. Was er sah, ließ ihm das Blut in den Adern stocken: Sein Elternhaus stand in Flammen!

„Nein!“, schrie er und rannte los.
Auf halber Strecke kam eine Gestalt aus dem Wald und stellte sich Robin in den Weg. Es war Much, der treue Helfer von Robins Vater.
„Halt! Nicht weiter!“, rief er.
„Aus dem Weg, ich muss doch löschen helfen!“
„Es ist zu spät“, sagte Much und hielt Robin fest. „Die Männer des Sheriffs haben das Haus angezündet und ...“
„Und was?“, fragte Robin mit zitternder Stimme.
„Und deine Eltern sind mit verbrannt“, sagte Much leise.
Robin sank auf die Knie. „Mutter, Vater“, murmelte er. Nach einer Weile erhob er sich und sagte: „Ich muss es sehen.“
„Darauf warten die Männer des Sheriffs nur“, entgegnete Much.

„Und was soll ich jetzt tun?“
„Du musst dich im Wald verstecken“, antwortete Much. „Der Sheriff hat dich für vogelfrei erklärt und zweihundert Taler auf deinen Kopf ausgesetzt.“
„Vogelfrei“, murmelte Robin. „Das heißt ...“
Er verstummte.
„Wer dich zu ihm bringt, lebendig oder tot, der bekommt das Geld“, sprach Much für Robin aus.
„Dann muss ich mich wohl wirklich im Sherwood-Wald verstecken.“ Robin streckte Much die Hand entgegen, um sich von ihm zu verabschieden.
„Ich lasse dich jetzt nicht allein“, wehrte Much ab.
„Dann wird es auch deinen Kopf kosten, wenn sie uns erwischen“, sagte Robin.
„Sie werden uns nicht erwischen.“
Da war sich Robin nicht so sicher.

## Robin Hood wird Hauptmann

Ein Jahr war seit diesem Tag vergangen. Inzwischen waren Robin und Much nicht mehr allein. Sie hatten immer wieder Männer getroffen, die in den Sherwood-Wald geflohen waren, um sich dort zu verstecken. Manche hatten in den königlichen Wäldern gewildert und waren dabei gesehen worden, andere hatte der Sheriff von ihren Höfen gejagt, weil sie die Pacht nicht zahlen konnten. Auch Soldaten, die nicht länger für ihre Herren

kämpfen wollten, waren davongelaufen und Diebe, die ihrer Strafe entgehen wollten. Einige waren nur kurze Zeit geblieben und dann weitergezogen. Die andern hausten gemeinsam im Wald, wo sie ein Lager errichtet hatten. Sie lebten vom Wild, das es reichlich gab, und von Diebstählen. Einige trugen grüne Kleidung, damit sie gut getarnt waren. Einmal stahlen drei Männer einem armen Bauern seine letzten Säcke mit Korn.
„Bringt sie sofort wieder zurück!“, sagte Robin.
„Bist du verrückt?“, fragte Glenn. „Das gibt gutes Brot.“
„Ich bin dagegen, dass wir den Armen etwas wegnehmen“, entgegnete Robin. „Sonst sind wir nicht besser als die Herren.“

„Dummes Geschwätz!" Glenn schaute sich um und fragte in die Runde: „Wer von euch ist der Meinung, dass wir das Korn zurückbringen sollen?"
„Ich", antwortete Much.
„Ich auch", sagte Waltin, ein Junge, der höchstens vierzehn war.
„Deine Stimme zählt nicht", sagte Glenn.
„Sie zählt genauso viel wie deine", widersprach Robin.
„Also gut", brummte Glenn, „dann stimmen wir jetzt ab. Wer dafür ist, dass wir das Korn behalten, hebt die Hand!"
Sieben Hände gingen hoch, sechzehn blieben unten.

Glenn grummelte etwas, was niemand verstehen konnte. Aber dass es nichts Freundliches war, sah man seinem Gesicht an.
„Wenn wir gerade beim Wählen sind“, sagte Much, „dann schlage ich vor, dass wir Robin zu unserem Hauptmann wählen.“
„Das könnte dir so passen!“, giftete Glenn. „Der kann uns ...“
„Wer ist für Robin?“, unterbrach ihn Much.
„Halt!“, sagte Robin. „Hört mir gut zu, bevor ihr wählt!

Ich werde es nicht dulden, dass wir eine gemeine Räuberbande werden. Ihr dürft keiner Frau und keinem Kind ein Leid antun. Auch dürft ihr keinem Tagelöhner und keinem braven Bauern, der jeden Tag hart arbeitet, etwas stehlen. Aber den reichen Herrschaften, seien es Kaufleute, Grafen, Barone oder Kirchenfürsten, die die Schwachen unterdrücken und ihnen noch das letzte Hemd wegnehmen, denen sollt ihr auflauern und sie berauben. Die Beute werden wir mit den Armen teilen. Nur wenn ihr damit einverstanden seid, kann ich euer Hauptmann sein."
„Und wer dafür ist, dass wir alles nehmen, was wir kriegen können, egal von wem, der muss mich zum Hauptmann wählen", sagte Glenn in die Stille hinein.
Nur fünf Männer hoben die Hand und der enttäuschte Glenn zog mit ihnen weiter.

Robin bedankte sich bei seinen Männern für das Vertrauen. „So, nachdem alles geklärt ist, müssen wir an die Arbeit."
Es galt Holz zu sammeln und Brot zu backen. Am Bach mussten Schüsseln und Töpfe gespült werden. Und sie brauchten frisches Fleisch. Robin teilte die Männer für die verschiedenen Arbeiten ein; er selbst ging auf die Jagd. Unterwegs kam er an einen Bach. Von einem Ufer zum andern führte nur ein Baumstamm. Gerade als Robin hinüberwollte, trat von der anderen Seite ein riesiger Kerl auf den Stamm.
Robin zögerte einen Moment, dann setzte er Fuß vor Fuß. Der andere ebenso.
„Geh zurück!", verlangte Robin. „Ich war als Erster auf dem Stamm."
„Aber ich bin größer als du", entgegnete der Fremde, „und die Kleinen müssen den

Großen Platz machen. Das solltest du doch wissen."
„Du unverschämter Kerl!", rief Robin und griff nach Pfeil und Bogen.
„Ich habe nur einen Stock zum Kämpfen, du aber hast Pfeil und Bogen. So ist es leicht für dich, mutig zu sein."
„Warte hier", sagte Robin, „dann will ich dir dein vorlautes Maul stopfen!" Er ging zurück und schnitt sich im Wald einen Eichenstock zurecht. Mit dem trat er wieder auf den Baumstamm. „Bist du bereit?", fragte er und schwang seinen Stock.

„Komm nur näher, Kleiner“, stichelte der Fremde.
Der Kampf begann, beide mussten kräftige Hiebe einstecken, beide wankten, aber keiner fiel und keiner wich zurück.

Der Fremde war kräftiger, dafür war Robin geschickter.
„Du bist wirklich ein guter Kämpfer“, keuchte Robin.
„Das Gleiche kann ich von dir sagen“, gab der Fremde zurück. „Ich hatte noch nie einen Gegner wie dich.“

Der Kampf ging weiter und Robin spürte, wie seine Kräfte langsam schwanden. Er versuchte, seinen Gegner mit einem überraschenden Schlag in die Kniekehlen zu fällen. Doch der Fremde wehrte den Stock ab und schlug Robin blitzschnell in die Hüfte. Der verlor das Gleichgewicht und stürzte ins Wasser.
Prustend tauchte er wieder auf und watete ans Ufer. Dort stand schon der Fremde und half ihm an Land. Erschöpft setzten sie sich nebeneinander ins Gras.
„Wo kommst du her?“, fragte Robin.
„Von dort“, antwortete der Fremde und zeigte über den Bach.
„Und wo willst du hin?“
„Keine Ahnung.“
„Dann bist du hier genau richtig“, sagte Robin. „Einen Kerl wie dich kann ich gut brauchen.“

„Wobei?“
Robin erzählte ihm von sich und seinen Männern.
„Zu euch passe ich wie der Pfeil zum Bogen“, sagte der Fremde und ging mit Robin ins Lager.
„Wie heißt du eigentlich?“, fragte Robin.
„John Little.“
Much, der Kleinste von allen, schaute an dem Neuen hoch und grinste. „Ich finde, wir sollten deinen Namen umkehren und dich Little John nennen. Das würde doch viel besser zu dir passen.“
Die Männer lachten.
Der Neue schaute ihn grimmig an. „Wenn du dich über mich lustig machen willst, kannst du gleich was erleben.“ Er packte Much und hob ihn hoch.
„Lass ihn los!“, sagte Robin. „Ich finde, Much hat Recht, Little John ist ein

wunderbarer Name für dich. Auf diesen Namen sollst du getauft werden."
Bruder Tuck, der aus einem Kloster geflohen war, taufte den Neuen, indem er ihm einen Krug Bier über den Kopf schüttete.

„Schade um das gute Bier", brummte Little John und versuchte, so viel wie möglich davon mit der Zunge zu erwischen.
„Jetzt bist du einer von uns", sagte Robin und reichte ihm die Hand.

## Kein Versteck ist sicher

Robin Hood sammelte immer mehr Vogelfreie, Ausgestoßene und Geächtete um sich. Jeder von ihnen musste schwören, nach Robins Grundsatz zu handeln: den Reichen nehmen und den Armen geben.
Eines Tages lauerte Robin mit einigen Männern einem Kornhändler auf, den die Bauern hassten. Er zahlte ihnen nur wenige Taler für ihr Korn. Trotzdem mussten sie an ihn verkaufen, weil sie das

Geld brauchten, um ihre Pacht zu zahlen. Dann verkaufte er das Korn mit großem Gewinn an die Reichen und wurde so selbst immer reicher.
Robin wusste von einem Spitzel, dass der Kornhändler seine Vorräte an den Bischof verkauft hatte. Als er auf dem Heimweg war, kam Robin hinter einem Baum hervor und rief: „Halt an und gib mir das Geld, das den Bauern gehört!“
„Los, packt ihn!“, befahl der Kornhändler seinen zwei Knechten.
Die sprangen vom Wagen, doch bevor sie Robin erreicht hatten, kamen seine Freunde aus dem Wald. Da wichen die Knechte zurück.
„Ich habe kein Geld bei mir“, sagte der Kornhändler. „Du kannst gern meine Taschen umdrehen, wenn du mir nicht glaubst.“

„Dass du es nicht in deinen Taschen hast, glaube ich dir sogar.“ Robin ließ die Knechte und den Wagen durchsuchen, aber nirgendwo war auch nur eine Münze zu finden.
„Steig ab!“, sagte Robin.
„Wozu?“, fragte der Kornhändler. „Du hast doch gesehen, dass ich kein Geld bei mir habe.“
„Du sollst jetzt nicht reden, sondern absteigen!“
Murrend und schwerfällig stieg der Kornhändler vom Wagen.
„Los, los, ein bisschen schneller!“, drängte Robin.
„Ich kann nicht schneller“, grummelte der Kornhändler. Es sah aus, als habe er sehr schwere Beine.
Ein Lächeln zog über Robins Gesicht.
„Halt ihn fest!“, sagte er zu Little John.

„Waltin, zieh ihm die Schuhe aus!“
„Lasst mir meine Schuhe!“, bat der Kornhändler. „Ich gebe euch mein Wams, das ist viel wertvoller.“
„Dein Wams kannst du behalten“, sagte Robin und nickte Waltin zu.
„Mann, der ist ja unheimlich schwer!“, rief Waltin, als er den ersten Schuh in den Händen hielt.
„Habe ich's mir doch gedacht“, sagte Robin.
Seine Freunde und er entdeckten, dass sich die ungewöhnlich hohe Sohle aufklappen ließ. Und heraus fielen die Taler.

Der Kornhändler verfluchte Robin und seine Gefährten, als sie auch den zweiten Schuh leerten.
„Hier hast du drei Taler, damit du für dich und deine Knechte unterwegs etwas zu essen kaufen kannst“, sagte Robin. „Wir wollen nicht, dass in unserem Land jemand hungern muss.“
„Der Teufel soll dich holen!“, schrie der Kornhändler.
„Wenn du die armen Bauern weiterhin so auspresst, wird er dich holen“, gab Robin zurück.

Ein andermal waren Robin und Little John auf der Jagd. Sie lagen in einer Mulde und beobachteten ein Rudel Wildschweine. Gerade als Robin den Bogen spannte, kamen zwei Priester angeritten und vertrieben die Wildschweine.

„Verflixt noch mal!“, schimpfte Robin.
„Jetzt ist der Braten weg!“
Er und Little John blieben in der Mulde liegen und ließen die beiden näher kommen. Auf Robins Zeichen sprangen sie auf und packten die Zügel der Pferde. Die Priester schlugen mit ihren Peitschen nach Robin und Little John. Doch ruckzuck lagen sie auf dem Boden.

„Was wollt ihr?“, fragte einer der Priester.
„Wir haben kein Geld.“
Robin glaubte ihnen nicht. Die beiden sahen nicht aus wie Bettelmönche; sie

hatten Pferde, waren gut gekleidet und wohlgenährt.
„Wegen euch sind uns die Wildschweine entkommen“, sagte Little John. „Dafür wollen wir eine Entschädigung.“
„Aber wir haben nichts als das, was wir auf dem Leib tragen.“
„Wir müssen euch wohl oder übel glauben, denn Priester dürfen ja nicht lügen“, sagte Robin grinsend. „Dann betet jetzt zu Gott und bittet ihn, euch fünfzig Taler zu schicken. Ich bin sicher, er lässt euch nicht im Stich.“
Die Priester mussten Gott in einem Gebet laut um die Geldsumme bitten.
Als sie gebetet hatten, durchsuchten Robin und Little John die beiden und fanden unter dem Gewand des Älteren einen Beutel mit Silbermünzen.
„Ich habe doch gewusst, dass Gott seine

Diener nicht im Stich lässt“, sagte Robin und zwinkerte Little John zu. Er zählte seinem Freund fünfzig Taler in die Hand. „Und seht nur, der Beutel ist noch nicht einmal leer!“, rief Robin. „Für euch sind auch noch ein paar Taler drin. Was sagt ihr nun?“

„Gott wird euch dafür bestrafen!“
„Das glaube ich nicht“, entgegnete Robin. „Aber um euch habe ich Sorge. Ihr kennt doch bestimmt den Spruch: Eher kommt ein Kamel durch ein Nadelöhr als ein

Reicher in den Himmel. Es sieht für euch also nicht gut aus. So, und jetzt macht, dass ihr weiterkommt!“
Die Priester saßen auf und ritten schimpfend davon.

Robin und seine Freunde behielten von dem erbeuteten Geld nur so viel, wie sie zum Leben brauchten. Den großen Rest gaben sie den Leuten, die Not litten. Das sprach sich in der Grafschaft Nottingham schnell herum. Bei den Armen waren die Männer aus dem Sherwood-Wald beliebt, bei den Reichen gefürchtet. Die beklagten sich beim Sheriff und verlangten von ihm, die Bande unschädlich zu machen. Doch das war leichter verlangt als getan.

## Ein Meisterschuss

Der Sheriff schickte immer wieder Soldaten aus, die Robin fangen sollten. Aber sie kamen jedes Mal mit leeren Händen zurück.
Schließlich versuchte er es mit einer List: Von seinen Spitzeln hatte er gehört, dass Robin Hood von den Leuten als ausgezeichneter Bogenschütze gerühmt wurde.

„Ich werde ein Schützenfest veranstalten, bei dem der beste Bogenschütze des ganzen Landes gesucht wird“, sagte der Sheriff zu seiner Gemahlin. „Der Sieger soll einen Pfeil aus Gold erhalten. Selbst wenn diesem Robin Hood der goldene Pfeil nicht wichtig sein sollte, wird er teilnehmen, da bin ich sicher. Den Ruhm, der beste Schütze zu sein, wird er keinem anderen überlassen wollen.“
Der Sheriff täuschte sich nicht. Als Robin von dem Wettbewerb erfuhr, war er nicht mehr zu bremsen. „Den goldenen Pfeil hole ich mir. Dann hängen wir ihn als Siegeszeichen an unsere Eiche.“

Much hatte Bedenken. „Vielleicht ist das eine Falle und der Sheriff will dich damit in die Stadt locken."
„Kann schon sein", sagte Robin. „Dann müssen wir eben klüger sein als er und nicht in seine Falle tappen."
„Und wie willst du das machen?", fragte Bruder Tuck.
„Ich schwärze mir die Haare, mache mein Gesicht dunkler und verkleide mich als Bauer", antwortete Robin. „Little John kommt als Mönch verkleidet mit und steht mit zwei Pferden bereit, falls ich fliehen muss."
Und so geschah es. Am Tag des Preisschießens herrschte auf dem Turnierplatz vor der Stadt ein buntes Treiben. Der Sheriff hatte extra eine Tribüne für die hohen Gäste aus nah und fern errichten lassen. An mehreren

Ständen gab es Speisen und Getränke.
Als sich die Tribüne gefüllt hatte und die Bogenschützen bereit waren, erschien auch der Sheriff mit seiner Gemahlin.
Kaum hatten die beiden Platz genommen, blies der Herold in sein Horn: Der Wettkampf konnte beginnen.
Doch der interessierte den Sheriff nicht besonders. Er suchte unter den vielen Schützen nach einem in grüner Kleidung, wie sie Robin Hood immer trug; er konnte jedoch niemanden entdecken.
„Wenn die meisten ausgeschieden sind und das Häufchen der Schützen klein ist, werden wir ihn erkennen“, flüsterte seine Gemahlin.
Er nickte. „Warten wir also ab.“
Nach drei Runden, bei denen das Ziel jedes Mal weiter entfernt wurde, waren von den knapp zweihundert Schützen nur

noch drei übrig. Aber ein grünes Wams trug keiner von ihnen.
„Anscheinend ist dieser Robin Hood doch kein so glänzender Schütze wie die Leute behaupten“, sagte der Sheriff. Einerseits freute ihn das, andererseits ärgerte er sich; schließlich hatte er das teure Fest nur ausgerichtet, um Robin endlich zu erwischen.
Ein Trommelwirbel kündigte die entscheidende Runde an.

Wie erwartet, war Ritter Hubert von Leicester unter den besten Schützen. Ebenso Hauptmann Gilbert von der Garde

des Sheriffs. Beide hatten schon viele Preise gewonnen und waren berühmt. Nur den schwarzhaarigen Schützen in seinem Bauernkittel kannte niemand.
Das Los entschied, dass Ritter Hubert als Erster schießen musste. Sein Pfeil landete haarscharf neben dem schwarzen Punkt. Nach ihm war der unbekannte Schütze an der Reihe und traf ins Schwarze. Hauptmann Gilbert setzte seinen Pfeil genau daneben.
„Beide schießen noch einmal!", rief der Sheriff. „Entfernung zweihundertfünfzig Fuß." Ein Raunen ging durch die Menge. Die Leute hielten es für unmöglich, auf diese Entfernung ein Ziel zu treffen, das nicht größer als eine Pflaume war.
Als Hauptmann Gilbert seinen Bogen spannte, herrschte atemlose Stille. Sein Pfeil landete mitten im Ziel.

Beifall brandete auf, die Menge jubelte dem Hauptmann zu.
„Bravo, Gilbert!“, rief der Sheriff. „Das war ein Meisterschuss. Dir gebührt der goldene Pfeil.“
Hauptmann Gilbert war sicher, gewonnen zu haben. Trotzdem sagte er: „Hier steht noch ein Schütze. Warten wir seinen Schuss ab.“
Auf der Tribüne lachten einige, als habe der Hauptmann einen Scherz gemacht. Der unbekannte Schütze, der niemand anderes als Robin war, ließ sich davon

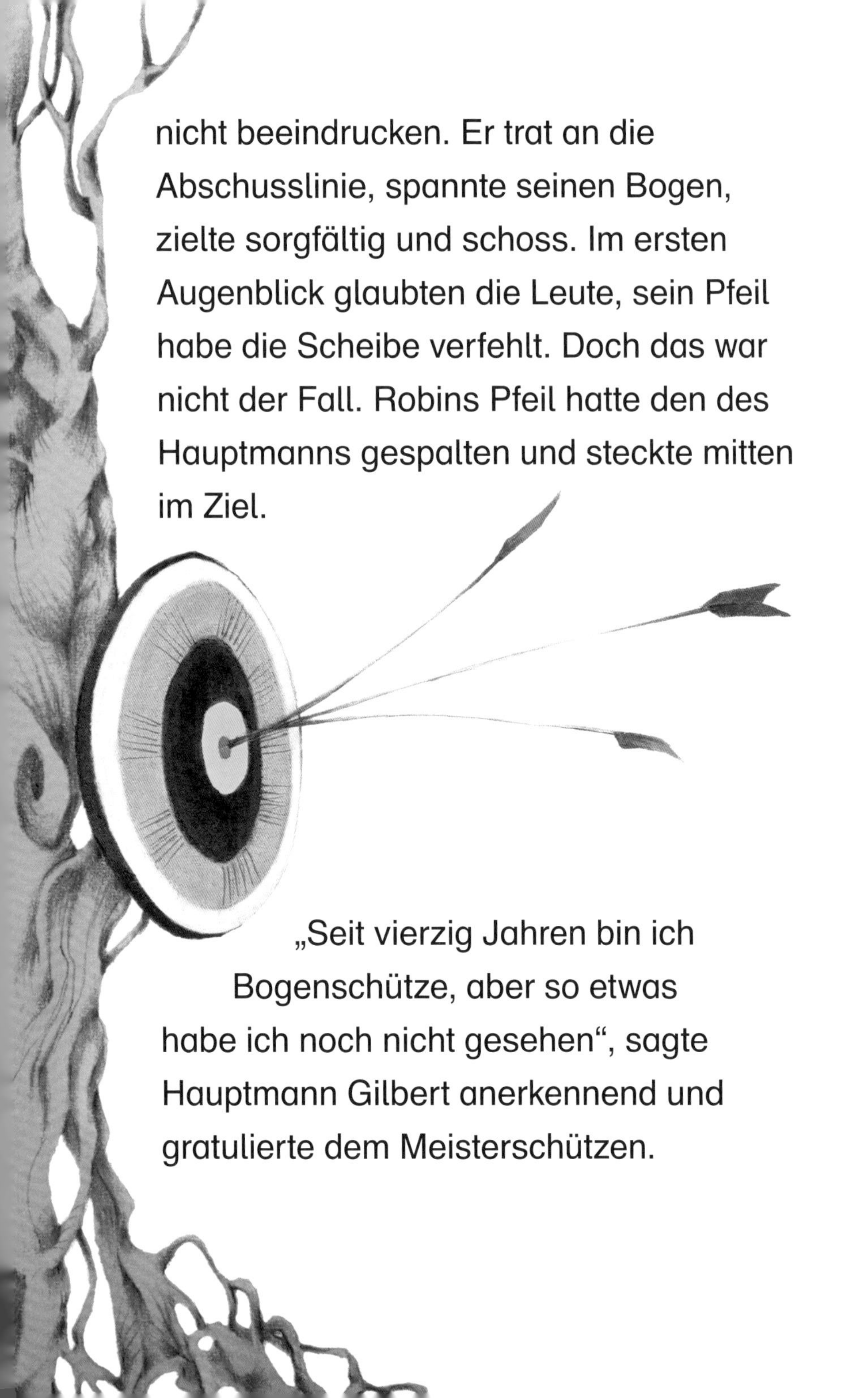

nicht beeindrucken. Er trat an die Abschusslinie, spannte seinen Bogen, zielte sorgfältig und schoss. Im ersten Augenblick glaubten die Leute, sein Pfeil habe die Scheibe verfehlt. Doch das war nicht der Fall. Robins Pfeil hatte den des Hauptmanns gespalten und steckte mitten im Ziel.

„Seit vierzig Jahren bin ich Bogenschütze, aber so etwas habe ich noch nicht gesehen“, sagte Hauptmann Gilbert anerkennend und gratulierte dem Meisterschützen.

Der Sheriff winkte den Sieger zu sich auf die Tribüne, um ihm den goldenen Pfeil zu überreichen.
„Wie heißt du?“, fragte er.
„Robert von Loxley.“
„Hör zu, ich mache dir ein Angebot“, sagte der Sheriff. „Du bist der beste Bogenschütze, den ich je gesehen habe. Wenn du in meinen Dienst trittst, wird es dir besser gehen als bisher.“
Robin schüttelte den Kopf. „Ich bin ein freier Mann und will keinem Herrn dienen.“
„Ein freier Mann bist du, so, so“, sagte der Sheriff und runzelte die Stirn. „Und wo lebst du frei?“
„Es gibt genügend Plätze in England, wo ein Mann noch frei leben kann“, antwortete Robin. „Zum Beispiel im Sherwood-Wald.“ Und schon sprang

er mit einem gewaltigen Satz von der Tribüne.
„Haltet ihn!“, rief der Sheriff. „Das ist Robin Hood!“
Ein paar Soldaten zogen ihr Schwert, aber Robin lief auf die Männer und Frauen des einfachen Volkes zu, die ihrem Wohltäter bereitwillig eine Gasse öffneten und hinter ihm wieder schlossen.
„Fangt ihn!“, brüllte der Sheriff wütend. „Lasst ihn nicht entkommen!“
Doch Little John wartete hinter der Menschenmenge mit zwei Pferden, so wie es abgesprochen war. Und bevor die Soldaten des Sheriffs auf ihren Pferden saßen, waren Robin und Little John schon im Wald verschwunden.

## Vom Räuberhauptmann zum Ritter

Jahrelang versuchte der Sheriff von Nottingham mit allen Mitteln, Robin und seine Freunde zu fangen. Doch immer wieder konnten sie entwischen, die Reichen weiterhin berauben und die Armen beschenken. Die nannten Robin inzwischen „König des Waldes“.
Davon hörte auch König Richard, der zurückgekommen war und die Missstände

im Land beseitigen wollte. Deshalb beschloss er, nach Nottingham zu reisen, um die Sache selbst in die Hand zu nehmen.
Der Sheriff fühlte sich nicht wohl in seiner Haut. Zur Begrüßung ließ er die besten Speisen und Getränke auftragen, um den König milde zu stimmen. Doch der ließ sich davon nicht beeindrucken.
„Ich habe gehört, dass ein gewisser Robin Hood mit seiner Bande in der Grafschaft sein Unwesen treibt“, begann der König. „Warum habt Ihr die Kerle nicht längst eingesperrt?“
Der Sheriff wurde blass. „Majestät ... das ist ... die Leute ... die helfen ihnen und verstecken sie“, stammelte er.
„Die Leute helfen Räubern?“, fragte der König. „Warum tun sie das?“
„Weil ... weil ...“

„Stottert nicht herum, Sheriff, gebt eine klare Antwort!“
„Weil die Leute schlecht sind und nicht mehr gehorchen wollen“, sagte der Sheriff schnell.
Der König schüttelte den Kopf. „Ich habe auch gehört, dass dieser Robin Hood schon öfter Männer befreit habe, die Ihr an den Galgen bringen wolltet. Und man hat mir berichtet, dass er nur Wohlhabende beraubte und die Beute unter den Armen verteilte. Vielleicht verstecken ihn die einfachen Leute ja deswegen.“

Der Sheriff senkte den Blick.
„Euer Schweigen ist mir Antwort genug“, sagte der König. „Gleich morgen werde ich in den Sherwood-Wald reiten, um Robin Hood zu treffen. Unterwegs werde ich mir anhören, was die Leute bedrückt. Wenn ich zurückkomme, entscheide ich, was mit Euch geschieht.“

Schon früh am nächsten Morgen ritten der König und zwei seiner Ritter als Mönche verkleidet los. Unterwegs trafen sie ein paar Bauern, die beklagten, dass der Sheriff immer höhere Abgaben und Pachtzinsen verlange. Ohne Robin Hoods Hilfe könnten sie nicht alle Mäuler stopfen. Als der König schon befürchtete, Robin Hood lasse sich nicht sehen, kamen plötzlich ein paar Männer in grünen Kleidern aus einem Gebüsch.

„Halt!“, rief Robin. „Wenn ihr weiterwollt, müsst ihr Wegzoll zahlen!“
„Wegzoll?“, fragte der König. „Wer gibt dir das Recht, Wegzoll zu verlangen?“
„Die Not der Leute“, antwortete Robin.
„Du kannst nicht einfach dein eigenes Recht machen“, sagte der König.
„Oh doch, hier kann ich das!“
„Auch im Sherwood-Wald gelten die Gesetze des Königs“, entgegnete der König.

„Dann soll der König dafür sorgen, dass die Grafen, Barone, Äbte und der Sheriff von Nottingham die Gesetze achten“, hielt Robin ihm entgegen. „Sobald er das tut, werden meine Männer und ich seine Gesetze nicht nur achten, sondern auch verteidigen.“

„Ausgerechnet ihr“, sagte der König. „Ihr seid doch Räuber und Feinde des Königs.“

„Hüte deine Zunge!“, schnauzte Robin ihn an. „Wir sind dem König treuer ergeben als die hohen Herren. Aber die sitzen in ihren Burgen, Schlössern, Klöstern und Abteien und beuten das Volk aus – genau wie ihr. Deswegen sorgen wir hier für ein wenig Gerechtigkeit.“ Er wandte sich zu seinen Männern um. „Little John, durchsuche die Satteltaschen!“

„Halt!“, sagte der König und stieg vom

Pferd. „Du hast mich überzeugt.“ Er zog die Mönchskutte aus, und Robin Hood sah die drei goldenen Löwen auf dem purpurroten Mantel. Da wusste er, dass der König vor ihm stand, und fiel auf die Knie. Und seine Gefährten ebenso.

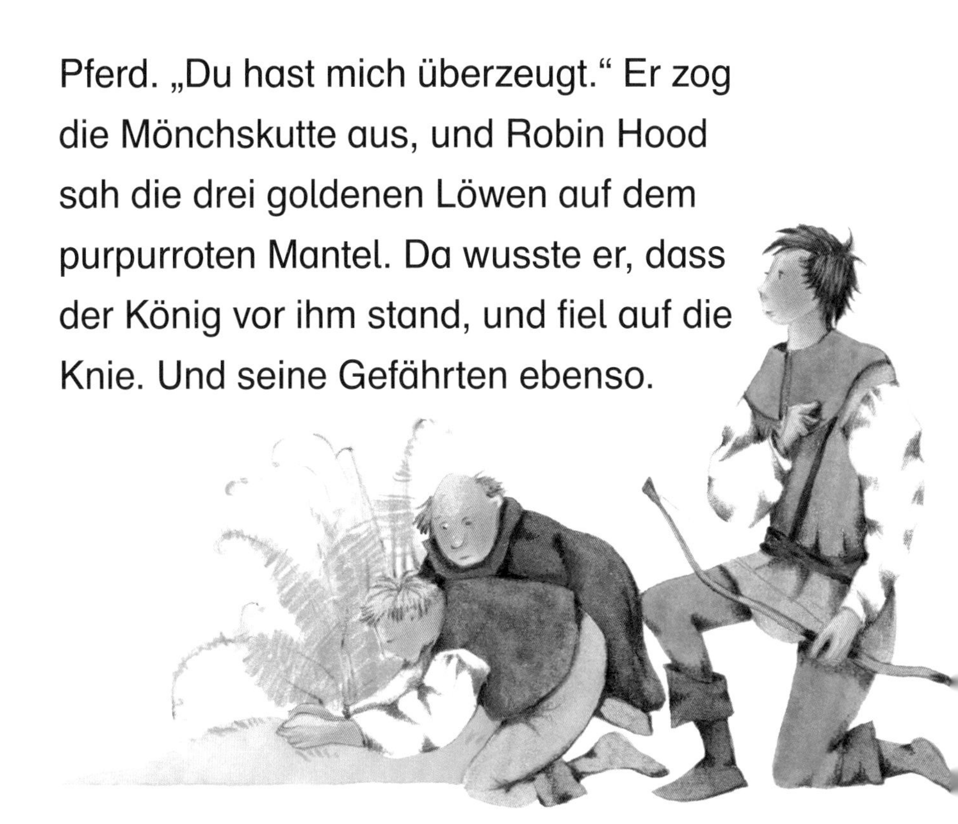

„Steht auf!“, sagte König Richard. „Obwohl ihr in den vergangenen Jahren gegen viele Gesetze verstoßen habt, seid ihr bessere Untertanen als manche Fürsten. Deshalb werdet ihr nicht bestraft und keiner von euch ist mehr vogelfrei. Dich, Robin Hood, ernenne ich zum Hauptmann

meiner Wache und deine Gefährten zu königlichen Wildhütern."
Robin und seine Männer bedankten sich. Sie luden ihren König und seine zwei Ritter zu einem Festmahl ein. König Richard nahm dankend an. Nach dem Mahl legte er sich zum Schlafen auf ein vorbereitetes Lager.
„Es ist schon eigenartig", flüsterte er einem seiner Ritter zu, „inmitten dieser Räuberbande fühle ich mich so sicher wie schon lange nicht mehr."
Am nächsten Tag ritten alle zusammen nach Nottingham. Als die Leute Robin an der Seite des Königs in die Stadt reiten sahen, jubelten sie beiden zu. Einer jubelte allerdings nicht: der Sheriff.
König Richard sagte zu ihm: „Ihr seid ab sofort nicht mehr Sheriff von Nottingham. Ich gebe Euch bis morgen Zeit, Eure

Sachen zu packen und die Grafschaft zu verlassen!“

Der Sheriff verbeugte sich und schlich davon.

Die Leute dankten ihrem König: „Hoch, König Richard! Lang lebe unser König, Richard Löwenherz!“, riefen sie.

In diese Rufe mischten sich auch andere: „Hoch, Robin Hood! Lang lebe Robin Hood!“

Weil die Leute so froh waren, den verhassten Sheriff los zu sein, feierten sie bis in die Nacht hinein.
Am nächsten Morgen verließ König Richard die Stadt; mit dabei waren Robin und seine Gefährten. Sie dienten dem König noch viele Jahre. Und er war sehr zufrieden mit ihnen. Eines Tages schlug er Robin sogar zum Ritter. So wurde aus dem ehemaligen Räuberhauptmann Ritter Robin von Loxley.

## Robin Hood – Legende oder Wahrheit?

Robin Hood gehört zu den bekanntesten Figuren der Weltliteratur. Er ist der Held vieler Balladen, die schon seit Mitte des 13. Jahrhunderts im Volk mündlich verbreitet wurden. Der erste schriftliche Hinweis auf einen „Robyn Hood“ stammt aus der Mitte des 14. Jahrhunderts. Die Handlungen der Balladen wurden im Lauf der Jahrhunderte vielfach umgedichtet und ergänzt; daraus entstand die heute bekannte Sage.
In den ältesten Quellen wird Robin Hood als gefährlicher Räuber dargestellt.
In späteren Balladen dagegen wird er zum verarmten Adligen, der gegen die Normannen und für sein Land kämpft.
In neuerer Zeit verbindet man mit Robin Hood vor allem den Kämpfer für soziale

Gerechtigkeit, der den Reichen nur deshalb ihr Vermögen raubt, um es den Armen zu geben.
Allerdings kann niemand mit Sicherheit sagen, ob und wann Robin Hood denn tatsächlich gelebt hat. Mehrere historische Gestalten, alle mit dem Vornamen Robert oder Robin, könnten als Vorlage gedient haben.
Unbestritten ist, dass die Figur des Robin Hood die Menschen durch die Jahrhunderte hindurch fasziniert hat. In vielen Büchern und Filmen wird bis in unsere Zeit von diesem außerordentlichen Menschen, seinem abenteuerlichen Leben und seinem Eintreten für die Armen und Benachteiligten erzählt.